QUÉ ME DICES DE...

RECICLAJE

EDITA

Nova Galicia Edicións, S.L.
Avda. Ricardo Mella, 143 Nave 3
36330 – Vigo (España)
Tel. +34 986 462 111
Fax. +34 986 462 118
http://www.novagalicia.com
e-mail: novagalicia@novagalicia.com

© **Nova Galicia Edicións, S.L.**
© **Carlos del Pulgar Sabín**
© **José Precioso**
   y Renato Henriques

Depósito legal: VG 993-2008
ISBN colección: 978-84-85401-03-1
ISBN volumen: 978-84-96950-95-5

IMPRESIÓN
Artes Gráficas Diumaró.

EDITOR
CARLOS DEL PULGAR SABÍN

DIRECCIÓN Y COORDINACIÓN
ELISARDO BECOÑA IGLESIAS

AUTORES DEL LIBRO
JOSÉ PRECIOSO Y RENATO HENRIQUES

FOTOGRAFÍA
NOVA GALICIA EDICIÓNS

DISEÑO Y MAQUETACIÓN
NOVA GALICIA EDICIÓNS

INFOGRAFÍA
NOVA GALICIA EDICIÓNS

TRADUCCIÓN Y REVISIÓN LINGÜÍSTICA
NOVA GALICIA EDICIÓNS

■ ■ ■

RECICLAJE

**José Precioso
y Renato Henriques**

NOVA GALICIA EDICIÓNS

QUÉ ME DICES DE...
Títulos de la colección

ÍNDICE

Introducción

La producción de innumerables bienes de consumo ha traído innegables beneficios a la humanidad, pero ha conducido a una reducción de los recursos naturales y a la producción de una incalculable cantidad de residuos de naturaleza variada (domésticos, industriales, hospitalarios, etc.).

El constante aumento de la cantidad de residuos sólidos, líquidos y gaseosos que producimos es uno de los mayores problemas, ambientales y de salud pública, con el que nos enfrentamos actualmente.

Habituados a colocar la basura en la calle o en contenedores de recogida selectiva, ni nos damos cuenta de que las enormes cantidades de residuos que una comunidad produce no desaparecen cuando el camión de la basura se los lleva de nuestra puerta o del contenedor.

Los residuos tienen que ser tratados, en caso contrario "moriremos ahogados" en basura. La gran cuestión es saber cómo podemos hacer menos residuos y qué hacer con los que inevitablemente producimos. La principal solución para este problema es la prevención de la producción de residuos en general y de los residuos sólidos urbanos (RSU) en particular, y esto pasa inevitablemente por la reducción del consumo de varios productos.

Sin embargo, es imposible evitar la producción de algunos tipos de residuos, por lo que una solución para este problema es el reciclaje.

Reciclar es transformar los productos usados en nuevos o en materiales que pueden tener utilidad en la producción de otros productos.

El reciclaje reduce el consumo de recursos naturales, el consumo de energía y los problemas ambientales asociados a su vertido.

❚❚ Cualquier proceso de valorización y reciclaje de residuos empieza con la correcta separación y recogida de los mismos. Para eso la contribución de personas como tú es fundamental. Sólo hay reciclaje de los RSU si en casa procedemos a su separación. El objetivo principal de este libro es ayudarte a comprender cómo y por qué debemos producir menos basura, enseñarte a colaborar en el proceso de prevención de la producción de residuos y a involucrarte en el proceso de reciclaje.

¿Qué son los residuos?

Todos los productos que la industria pone a nuestra disposición tienen lo que se puede denominar "un ciclo de vida".

En todas las fases del ciclo de vida de un producto (durante la extracción de las materias primas, su producción, el embalaje, el transporte, la utilización y su eliminación final), se producen residuos. Por ejemplo, para producir una lata de coca cola es necesario aluminio. Durante el proceso de extracción de la bauxita (mena de aluminio) en las minas, se producen residuos. En la producción de la lata en las fábricas siderúrgicas a partir de las materias primas (aluminio y otras sustancias), se producen residuos. Cando la utilizamos y tiramos, estamos produciendo un residuo. Por otro lado, para producir cualquier producto es necesario consumir energía. Mucha de esa energía, aunque sea eléctrica, proviene, en muchos casos, directa o indirectamente, del petróleo, gas natural o carbón. Y durante el proceso de extracción, transporte, refinado, etc., de combustibles fósiles, se producen muchos residuos. La producción de objetos de consumo tiene así dos problemas asociados. El primero es la reducción de recursos y el segundo es la producción de residuos. Los residuos son sustancias u objetos de los que su poseedor se deshace o tiene la intención o la obligación de eliminar.

Como la producción de bienes de consumo ha aumentado mucho, es natural que los problemas relacionados con el destino de los residuos se hayan agravado. Los residuos son un peligro para el medio, para la salud y para el modo de vida actual.

‖ Los recursos naturales deben usarse de forma consciente para que no se agoten y para que no devolvamos al medio ambiente toneladas de materiales que acabarán contaminándolo, perjudicando y dañando la salud del planeta y de la humanidad.

Los residuos sólidos urbanos

El término residuos sólidos urbanos (RSU) designa, genéricamente, una variedad de sustancias y objetos de origen doméstico y otros residuos semejantes, en lo que respecta a su naturaleza o composición.

Cuadro 1. Composición física media de los RSU en España y en la Unión Europea

Componentes	RSU (Esp.)	RSU (UE)
Papel / Cartón	18,5%	26%
Vidrio	7,6%	7%
Plástico	11,7%	9%
Metales	4,1%	4%
Productos textiles	3,7%	5%
Madera / Envases	0,6%	1%
Materia orgánica	48,9%	29%
Verdes	2,0%	1%
Otros Residuos	2,9%	18%

Aunque los residuos de este tipo provengan de otros sectores (servicios, establecimientos comerciales o industriales, unidades de atención sanitaria, etc.) y no supongan una producción diaria superior a 1100 litros por productor, son considerados RSU. Son ejemplos de RSU los envases de leche, de zumos, los restos de la comida, las botellas, los envases de los cereales, las revistas, los periódicos, etc.

Los materiales que entran con más frecuencia en la composición de los RSU pertenecen a las siguientes categorías: materia orgánica; papel y cartón; vidrio; metales y plásticos. El cuadro I presenta datos sobre la composición física media de los RSU en España y en la Unión Europea. Se constata que la composición media de los RSU en España, posee menor porcentaje de papel/cartón y mayor porcentaje de materia orgánica que los que se producen en la Unión Europea.

La composición de los RSU varía mucho entre los países de la Unión Europea y entre el medio rural y urbano. En el medio rural presentan un mayor porcentaje de materia orgánica y menos papel y cartón. En el medio urbano el papel y el cartón representan el mayor porcentaje de residuos. También la cantidad de residuos producidos por persona es diferente, siendo menor en el medio rural que en el medio urbano.

Evolución de la producción de RSU

Como podemos ver en el gráfico, la producción media de residuos en la Unión Europea (Europa de los 27) se ha mantenido, con pequeñas oscilaciones, desde el año 2000.

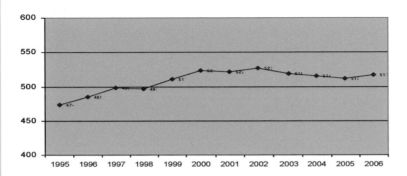

En 1999, el 57% de los residuos producidos en Europa iban destinados a rellenos; el 16% a la incineración; el 20% al reciclaje y compostaje y el 7% tenía otras finalidades. El porcentaje de residuos depositados en rellenos ha disminuido; sin embargo continúan siendo el destino preferente para los residuos en muchos países europeos.

El reciclaje ha ido en aumento en todos los países de la Unión Europea, aunque los del norte y del centro de Europa (Dinamarca, Holanda, Bélgica, etc.) presentan tasas de reciclaje superiores a los del sur (Grecia, Portugal, etc.). En 2002, la tasa de reciclaje de residuos en España era del 36%, todavía lejos de Bélgica (95%), Suiza (94%) o Finlandia (92%).

¿Qué es e

El reciclaje es un proceso industrial que tiene como finalidad convertir algunos residuos en general, y los RSU en particular, en productos semejantes a los iniciales u otros.

eciclaje y cuáles son sus ventajas?

En el proceso de reciclaje los residuos, después de ser recogidos, separados y procesados, se utilizan como materia prima en la producción de nuevos productos que, de otra forma, serían hechos a partir de materia prima virgen.

Por ejemplo, el papel y el cartón son reciclados para dar lugar a papel nuevo. Los metales pueden ir a fábricas y, tras su fundición, pueden dar lugar a nuevas piezas o productos. Las botellas de vidrio pueden dar lugar a nuevos envases. Algunos plásticos, después de ser recogidos y separados, pueden ser fundidos y moldeados de nuevo para dar lugar a productos iguales o semejantes a los iniciales.

Los materiales de naturaleza orgánica (restos de comida, por ejemplo), pueden ser transformados en abono orgánico (compost) y ser utilizados como fertilizante para las plantas o como enmienda orgánica de los suelos.

La palabra reciclaje surgió a finales de la década de los 80, cuando se comenzó a tomar conciencia de que, al actual ritmo de consumo de recursos naturales, las materias primas no renovables se estaban (y están) agotando. Reciclar significa = Re (repetir) + Cycle (ciclo).

Conforme a lo que ya mencionamos, la principal preocupación que se debe tener en relación a los residuos sólidos es reducir su cantidad en origen (prevención). El reciclaje tiene varias ventajas, a saber: disminuye la explotación de los recursos naturales; reduce el consumo de energía, contribuyendo a la conservación de los combustibles fósiles.

Al contribuir a la reducción del consumo de combustibles fósiles, se ayuda a atenuar los grandes problemas ambientales con los que nos enfrentamos como, por ejemplo, el efecto invernadero, la destrucción de la capa de ozono y la lluvia ácida; la contaminación del suelo, del agua y del aire; las condiciones de higiene y la calidad de vida de las ciudades, pueblos y aldeas; la reducción de la vida útil de los rellenos sanitarios para donde se envía una gran parte de los residuos, si no fueron reciclados.

El reciclaje es más barato que el uso de vertederos o la incineración. Debemos participar, de forma más o menos activa, en el proceso de reciclaje. El éxito del reciclaje depende de la participación de los ciudadanos en la separación doméstica de los residuos. Los ciudadanos deben separar convenientemente sus residuos, cumpliendo con las reglas de separación divulgadas, y depositarlos en los lugares apropiados puestos a su disposición por los ayuntamientos para que los residuos puedan, posteriormente, ser reciclados por la industria del reciclado.

▌ Podemos también colaborar en el reciclaje optando por la compra de productos que tengan la etiqueta de producto reciclado o reciclable.

Dispositivos utilizados en los procesos de reciclaje

La basura, después de separada por los consumidores, debe ser llevada a un contenedor de reciclaje o a un punto de recogida selectiva. Los contenedores de reciclaje (vidrio, papel, plástico, pilas, latón) son dispositivos destinados a recoger solamente un tipo de material.

Un punto de recogida selectiva está constituido por un conjunto de contenedores para depositar selectivamente el papel y cartón (contenedor azul), envases plásticos y metálicos (contenedor amarillo) y vidrio (contenedor verde). Hay un contenedor con un color para cada tipo de material. Incorporado en el punto de recogida selectiva se encuentra, normalmente, un contenedor rojo, de pequeñas dimensiones, para depositar las pilas usadas.

En algunos lugares la recogida de los residuos se realiza puerta por puerta. Las personas, en vez de llevar los residuos al punto de recogida selectiva, los separan en casa y la recogida de los diferentes materiales separados se realiza en días de semana y horarios predefinidos por vehículos adecuados. Los residuos separados por los consumidores y depositados en los contenedores, en los puntos limpios, o enviados por el sistema de puerta por puerta, son transportados a una planta de separación.

Allí su contenido es separado manualmente por categorías y

enviado, posteriormente, a las plantas de reciclaje. En la planta de separación se procede a una separación complementaria de las materias provenientes de la recogida selectiva, almacenando y acondicionando los residuos para su posterior traslado a las plantas de reciclaje.

La planta de clasificación es otra infraestructura donde se realizan operaciones de separación de materiales de grandes dimensiones o de materiales que, por su naturaleza, no pueden ser remitidos a la planta de selección. Los principales materiales tratados en la planta de clasificación son: la chatarra, placas de vidrio que no caben en los puntos de recogida

selectiva, electrodomésticos, etc. La mayoría de los materiales son recogidos en los puntos limpios y, posteriormente, conducidos a la planta de clasificación. Hay también materiales que se entregan directamente a la planta por empresas o particulares. En la planta de clasificación se llevan a cabo varias operaciones de selección y preparación de los materiales para ser posteriormente enviados a unidades de reciclaje.

¿Qué es un relleno sanitario?

Un relleno sanitario es un dispositivo construido, con mucho cuidado y rigor, por encima o por debajo de la superficie natural, para el vertido controlado de residuos.

El fondo y las paredes laterales del relleno llevan varias capas de materiales naturales y sintéticos (geotextiles), volviéndolos prácticamente impermeables.

El objetivo principal es evitar la contaminación, de los acuíferos y de los suelos, por los *lixiviados* (aguas muy contaminadas debido a la disolución de las sustancias que constituyen los diversos productos depositados en el relleno).

Para el buen funcionamiento del relleno es necesaria la implantación de una red de drenaje de aguas plu-

viales para evitar que éstas se infiltren en el relleno y contribuyan al aumento del volumen de los lixiviados.

Del mismo modo se construye una red de drenaje de lixiviados que

tiene como principal objetivo conducirlas a un proceso de pretratamiento (dado que son aguas muy contaminadas), antes de ser llevadas a la red de colectores municipales.

Posteriormente son tratadas en una planta de tratamiento de aguas residuales. En un relleno existe también una red de drenaje para la recogida y conducción de gases que se forman en el proceso de degradación aeróbica y anaeróbica (en ausencia de oxígeno, por determinadas bacterias) de los residuos.

El biogás resultante de la degradación de los residuos puede ser aprovechado para la producción de electricidad utilizada en la iluminación del área del relleno. La quema del biogás, además de producir electricidad, atenúa el efecto invernadero, pues el CO_2 resultante de su combustión es un gas menos activo que el metano en este efecto. Los residuos son descargados en el relleno y se procede a su compactación, de forma que se re-

duzca el volumen ocupado. Al final de cada día se cubren los RSU ahí depositados con tierra con el objeto de disminuir los olores desagradables, disminuir el riesgo de incendio, evitar el esparcimiento de materiales e incluso impedir la aproximación de vectores (insectos, ratas y otros animales que pueden transmitir enfermedades).

En el relleno sanitario sólo se debe depositar lo que no se

puede reutilizar o reciclar. De esta forma se garantiza que no se desperdician recursos (contenidos en los residuos) y se evita ocupar el espacio del relleno, aumentando así su vida útil. Tenemos que acordarnos de que el relleno sanitario tiene una capacidad limitada y por eso, cuanta más basura se coloca allá, más rápidamente se llena, surgiendo el problema de la construcción de uno nuevo.

Muchos países ya tienen falta de espacio para construir rellenos sanitarios. Tras la explotación del relleno, o sea, cuando se alcanza la cota de relleno, se procede a su sellado. Estas áreas, después de ser recuperadas, pueden servir como espacios verdes o deportivos (campos de deportes, jardines públicos, entre otros), una vez que en esta área queda prohibida la construcción. Al contrario de lo que ocurre en los vertederos, los cuidados ambientales considerados en la construcción, explotación y sellado de un relleno sanitario garantizan una completa seguridad y salud para el medio y para las personas.

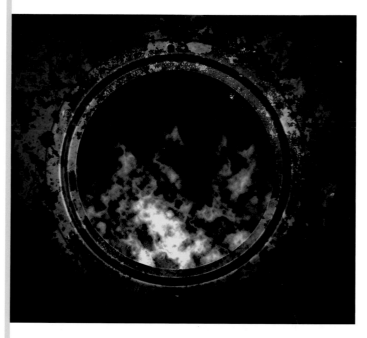

¿Qué son las incineradoras?

Una incineradora es una instalación de quema de residuos a temperaturas elevadas, siendo las cenizas y el polvo, que ya no se pueden reutilizar, enviados a los rellenos sanitarios.

La incineración tiene como principal objetivo la reducción de peso, del volumen y de la peligrosidad de los residuos. La reducción de volumen de residuos es generalmente superior al 90% y superior al 75% en peso.

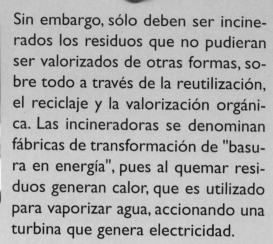

Sin embargo, sólo deben ser incinerados los residuos que no pudieran ser valorizados de otras formas, sobre todo a través de la reutilización, el reciclaje y la valorización orgánica. Las incineradoras se denominan fábricas de transformación de "basura en energía", pues al quemar residuos generan calor, que es utilizado para vaporizar agua, accionando una turbina que genera electricidad.

En el caso de los RSU la incineración implica la destrucción de materiales y, en muchos casos, la tecnología de quema existente no consigue impedir la producción de residuos peligrosos y la emisión de gases altamente tóxicos (como las dioxinas o el mercurio). La incineración de los productos que no pueden ser reciclados es aceptable, pero esta práctica no debe ser la primera opción para resolver el problema de los RSU. En los últimos años con el avance de las tecnologías de depuración de gases, y de los controles "on line", de todas las emisiones gaseosas y líquidas, fue posible evitar la liberación de contaminantes como óxidos de nitrógeno (NOx), dioxinas y furanos.

Hay una fracción apreciable de residuos cuya producción todavía no puede evitarse y aún no existe la tecnología que permita su reciclaje.

Estos residuos deben ser enviados a vertederos, a incineradoras o incluso a fábricas donde se pueda llevar a cabo la incineración (por ejemplo en los hornos de las cementeras por coincineración). Se trata de un dispositivo imprescindible en cualquier sistema integrado de tratamiento de residuos.

El reciclaje del papel

El papel está constituido básicamente por materiales fibrosos y es utilizado en la producción de varios productos. Las fibras que integran la constitución del papel son, en general, de naturaleza vegetal (celulosa), pero también pueden ser de origen animal, mineral o sintético (lana, seda, etc.).

Desde el siglo XIX la principal fuente para la producción de la pasta, a partir de la cual se hace el papel, son los árboles. El "ciclo de vida" del papel se inicia cuando se plantan árboles destinados a ser utilizados por la industria de la celulosa. Los árboles, que acabarán constituyendo la materia prima, después de talados y cortados, son descortezados y procesados industrialmente para producir papel.

Como la pasta de papel es grisácea o acastañada, a veces se somete a un proceso de blanqueado para obtener una pasta más blanca. Este proceso es una ope-

ración muy contaminante debido al elevado porcentaje utilizado de productos clorados que quedan presentes en las aguas residuales. La producción de papel implica normalmente la plantación de extensos monocultivos de especies exóticas, como el eucalipto y el pino.

Este procedimiento tiene como consecuencia la desaparición de casi la totalidad de la flora y la fauna autóctona y la degradación del paisaje (uniformidad). En el proceso químico de blanqueado puede producirse contaminación atmosférica y contaminación de las aguas dulces o saladas (según el medio donde se realice el vertido de las aguas residuales de las fábricas celulosas).

La "vida" del papel no debe terminar después de ser utilizado pues se trata de un producto que puede ser reciclado más o menos cinco veces. Los papeles usados son, por eso, una importante fuente de materias primas (fibras) para la producción de papel. En el proceso de reciclaje los papeles usados, después de ser seleccionados, son añadidos a la pasta de papel primaria, dando lugar a papel nuevo. Las operaciones de disgregación y separación de las fibras celulósicas existentes en el papel usado son más fáciles de realizar que las que tienen que ser efectuadas para extraer las fibras de la madera.

Por eso, el reciclaje es un proceso muy ventajoso en términos energéticos, de ahorro de agua y de economía. La fabricación de una tonelada de papel (1.000 kg) a partir de papel reciclado permite aho-

rrar entre 15 y 20 árboles, en relación con la producción de papel nuevo; consumir de 50 a 200 veces menos agua (por cada tonelada de papel reciclado producido se ahorra la cantidad de agua equivalente al consumo diario de mil personas); consumir de 2 a 3 veces menos energía.

Además de lo que se dijo, el reciclaje del papel contribuye a la reducción de la cantidad de residuos sólidos urbanos depositados en los rellenos sanitarios, aumentando el tiempo de duración de estas estructuras. Atrasa también la inevitable tala de árboles.

El reciclaje del papel comienza con la separación doméstica, continúa con su recogida, puerta por puerta o en los puntos de recogida selectiva, continúa con su transporte a plantas de selección o directamente a fábricas de reciclaje. Existen algunos tipos de mate-

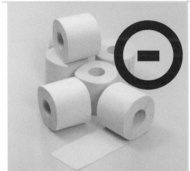

riales que contaminan el papel, haciéndolo difícil de reciclar. La siguiente relación indica los tipos de papel que se pueden reciclar y los que no se pueden:

SE PUEDE RECICLAR

Cajas de cartón; periódicos; revistas; impresos en general; fotocopias; borradores; sobres; papeles timbrados; tarjetas; papel de fax

NO SE PUEDE RECICLAR

Papel higiénico; papel plastificado; papel metalizado; papel parafinado; vasos desechables de papel; papel de calco; fotografías; cintas adhesivas; etiquetas adhesivas; papel vegetal.

Para que el reciclaje sea posible, es nuestra responsabilidad hacer una selección correcta del papel reciclable, lo que significa, básicamente, separar el papel de otros materiales que perturban el proceso de reciclaje y llevarlo al punto de recogida selectiva. Es muy importante prevenir la producción de residuos de papel a través de la reducción y de la reutilización.

Para eso debemos evitar comprar productos con un embalaje excesivo (cereales, etc.); no imprimir más de lo necesario; utilizar documentos electrónicos; utilizar las nuevas tecnologías, como correos electrónicos, memorias extraíbles para transferir la información sin recurrir al papel; imprimir papel por las dos caras (podemos con este pequeño gesto ahorrar la mitad de los árboles necesarios para producir papel para la impresión) y reutilizar el envés de las hojas para imprimir nuevamente o hacer borradores.

Debemos evitar utilizar papel de color para embalar pues cuanto más pigmento tenga un papel, más difícil es reciclarlo y conseguir hacer, a partir de él, un papel blanco. Los pigmentos, muchas veces tóxicos, acabarán en el medio, en caso de que sean reciclados o no. Y está claro que debemos utilizar, siempre que sea posible, papel reciclado.

Los primeros relatos de producción, por parte del hombre, de vidrio común, se relacionan con los pueblos fenicios y egipcios, hace cerca de 4.000 años.

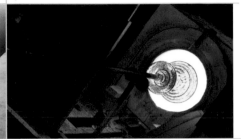

El reciclaje del vidrio

La utilización del vidrio se vulgarizó en la Edad Media, especialmente en el ornamento de iglesias y mezquitas y, ocasionalmente, en recipientes. Su utilización se generalizó a partir de los siglos XVIII y XIX, con la revolución industrial.

El vidrio es una sustancia brillante, transparente, dura, resistente al ataque químico, impermeable y frágil. Se obtiene por fusión de materiales que se encuentran fácilmente en la naturaleza, tales como la arena de cuarzo (sílice) y la caliza. La fabricación del vidrio se realiza en hornos, utilizando tempera-turas entre los 1.300 y los 1.500°C. En este proceso, además del sílice, se utiliza una sustancia destinada a bajar el punto de fusión y una sustancia estabilizadora, destinada a aumentar la resistencia y la insolubilidad.

Añadiendo otras sustancias en pequeños porcentajes, normalmente inferiores al 1%, se pueden obtener vidrios con otras propiedades, como vidrios de color, más resistentes al calor, más transparentes, etc.

El vidrio es una sustancia muy utilizada en nuestro día a día. En la construcción civil o en la industria del automóvil está, por ejemplo, en las ventanas de las casas y en las ventanillas de los coches.

Por ser una sustancia químicamente muy resistente, es utilizado en el envasado de productos sólidos y líquidos, como agua, refrescos, bebidas alcohólicas, medicamentos, ácidos. Esta propiedad permite también la utilización del vidrio para equipamiento médico o de laboratorio. Objetos domésticos comunes, como platos, bandejas, vasos o jarrones decorativos, están frecuentemente hechos de vidrio. Otras utilizaciones del vidrio incluyen la fabricación de bombillas, pantallas de ordenador o de televisiones, equipamiento óptico, etc.

Además de energía, el vidrio supone la explotación y la extracción de grandes cantidades de recursos de la naturaleza, muchas veces en explotaciones a cielo abierto. Además de reducir los recursos disponibles, estas explotaciones empobrecen el paisaje. En cuan-

‖ La producción del vidrio implica grandes cantidades de energía, realizándose en hornos que necesitan estar en funcionamiento continuo. La totalidad o parte de esa energía es obtenida recurriendo, directa o indirectamente, a combustibles fósiles, contribuyendo a la contaminación.

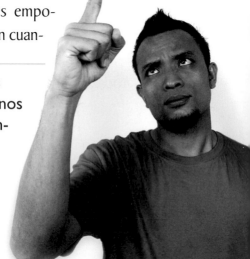

to a su eliminación, el vidrio es un material que no libera sustancia contaminante alguna ni se altera con facilidad, siendo, por eso, casi inerte. Su eliminación en la naturaleza no tiene grandes consecuencias, exceptuando la posibilidad de accidentes que puedan producir cortes con objetos rotos de vidrio.

Sin embargo, si fuese depositado en rellenos sanitarios, además de los costes que eso implica, el vidrio ocuparía espacio sin necesidad, disminuyendo el tiempo de vida de un vertedero.

El vidrio es una de las sustancias más fáciles de reciclar, incluso siendo, en teoría, "infinitamente reciclable". El mejor modo de convertir el vidrio tirado en un importante recurso es promover su reutilización. Este procedimiento se aplica, fundamentalmente, a recipientes, implicando su lavado y reaprovechamiento para envasar nuevamente productos. En este proceso se consume poca energía y algo de

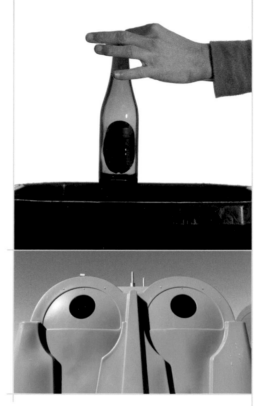

agua, reduciendo todos los costes asociados a la gestión del vidrio tirado.

El proceso de reciclaje es relativamente simple e implica la recogida y trituración de los objetos de vidrio, convirtiéndolos en un material granular denominado cullet o "calcín". Este material se funde y se mezcla fácilmente con los restantes ingredientes implicados en la fabricación del vidrio, permitiendo un producto final cuya calidad es igual a la del vidrio no reciclado.

‖ El reciclaje del vidrio evita que un recurso importante sea depositado en un vertedero, siendo utilizado para la producción de vidrio nuevo. De esta forma se evitan intervenciones innecesarias en el medio ambiente para la explotación de materias primas. Al mismo tiempo que se evitan costes en su eliminación, se obtienen ganancias importantes como consecuencia del reciclaje.

El reciclaje del vidrio ahorra energía pues la cantidad de energía utilizada en la fusión de vidrio reciclado es muy inferior a la cantidad de energía necesaria para fundir y mezclar materias primas naturales. De media, el reciclaje de sólo una botella permite ahorrar energía suficiente para mantener una bombilla de 100W encendida durante una hora, un ordenador durante 25 minutos, una televisión durante 20 minutos y una lavadora durante 10 minutos. Durante un año, si todo el vidrio tirado a la basura en una casa fuese reciclado, lo que corresponde a cerca de 310 botellas, el ahorro de energía sería equivalente a ver 210 horas de televisión o tener un ordenador encendido durante 5 días consecutivos. Por cada tonelada de vidrio reciclado, se evita que 315 toneladas de CO_2 se liberen a la atmósfera.

El reciclaje del vidrio tiene ventajas sociales, como por ejemplo la creación de empleos. El transporte, limpieza y trituración del vidrio para reciclaje implica el trabajo de innumerables personas. Aun sin ser fundido, el vidrio reciclado, cuando es molido en partículas del tamaño de la arena, es un excelente sustituto de la arena natural en el hormigón.

El vidrio es una sustancia que es mucho más fácil de reciclar que el plástico. Siempre que sea posible, se deben comprar productos alimenticios que estén envasados en vidrio, en vez de en plástico. Los recipientes de vidrio, utilizados en el envasado de agua, refrescos o bebidas alcohólicas, deben ser devueltos al vendedor de los productos para su reutilización, siempre que sea posible.

El reciclaje del vidrio comienza con su separación de los restantes residuos, pues permite ahorrar tiempo y energía en el posterior proceso de valorización del material reciclado. En casa debemos tener cuidado de separar el vidrio proveniente de las botellas de vino, agua y zumos, de los frascos y tarros de vidrio borosilicatado, vulgarmente designado Pyrex, el vidrio utilizado en bombillas, espejos y vidrios con materiales adheri-

dos no destacables, como plásticos, adhesivos, metales, etc. Este vidrio puede contaminar negativamente el vidrio restante, en especial si el reciclaje se destina a vidrio para envasado.

Siempre que sea posible, se deben separar del vidrio todas las sustancias potencialmente contaminantes, como tapas metálicas, plásticos, papel, adhesivos, etc. El vidrio para uso electrónico, como pantallas de televisión o de ordenadores, no debe ser reciclado con el restante vidrio. Este vidrio posee, a veces, metales adheridos que pueden contaminar el vidrio obtenido por reciclaje.

‖ Al final, el vidrio debidamente separado y en condiciones de ser reciclado debe colocarse en puntos de recogida. En el contenedor de vidrio debemos colocar las botellas de vino, agua y zumos y los frascos, y los otros materiales tendremos que ver en cada caso qué haremos con ellos, pero nunca colocarlos en el contenedor para el vidrio.

La utilización de metales es muy antigua, habiendo marcado la historia de la civilización humana.

El reciclaje del metal

El dominio en la utilización de metales, en este caso el desarrollo de una aleación de cobre y estaño, para formar el bronce, se inició cerca del 3.300 AC tras la Edad de Piedra. Ese período fue conocido como Edad de Bronce. La metalurgia del hierro se inició cerca del año 1.200 AC. Este período fue designado como Edad de Hierro. En la civilización romana y durante la Edad Media, los metales fueron importantes para fines militares (armas y armaduras), construcción de recipientes, refuerzo de vehículos de tracción animal o, en algunos casos, en el refuerzo de las construcciones. La utilización generalizada de los metales pasó a ser muy importante tras la revolución industrial, siendo utilizados para construir máquinas industriales, medios de transporte, puentes, ferrocarriles y edificios.

Los metales tienen muchos usos, sobre todo en la construcción civil, en la producción de vehículos de transpor-

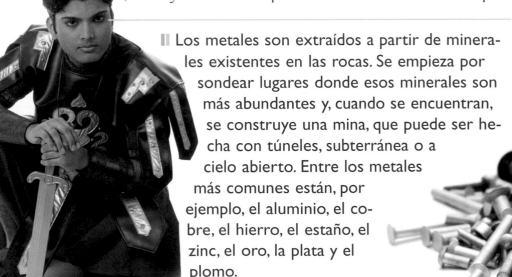

‖ Los metales son extraídos a partir de minerales existentes en las rocas. Se empieza por sondear lugares donde esos minerales son más abundantes y, cuando se encuentran, se construye una mina, que puede ser hecha con túneles, subterránea o a cielo abierto. Entre los metales más comunes están, por ejemplo, el aluminio, el cobre, el hierro, el estaño, el zinc, el oro, la plata y el plomo.

te, como automóviles, barcos, trenes o aviones. La mayoría de los electrodomésticos o máquinas industriales tienen también un gran porcentaje de metales en su estructura. Siendo, normalmente, excelentes conductores de electricidad, una gran cantidad de metales se utiliza en la red de distribución eléctrica, destacando, por ejemplo, el cobre. Debido a esta propiedad, los metales son muy importantes en todos los equipamientos eléctricos. Su buena conductividad térmica permite que sean muy utilizados en la fabricación de ollas o de hornos industriales. Algunos metales son utilizados en joyería, como, por ejemplo, el oro y la plata. Otros metales tienen usos muy especializados, como algunos metales radioactivos, como el uranio o el plutonio, que son

utilizados para la producción de energía en centrales nucleares.

Las minas donde se realiza la extracción de metales, especialmente cuando son a cielo abierto, generan un gran impacto ambiental y paisajístico.

Normalmente es necesario extraer una gran cantidad de roca para retirar una pequeña cantidad de metales. En este proceso se consume una gran cantidad de energía. De la gran cantidad de roca extraída del subsuelo, sólo una pequeña parte es valorizada, siendo la mayoría del material no valorizable depositado en escombreras.

Algo del material de las escombreras posee sustancias que pueden ser peligrosas. Estas sustancias pueden ser transportadas por el agua o por el viento, pudiendo contaminar agua y suelos, creando graves problemas de salud pública dada su toxicidad.

En algunos países, la legislación ambiental obliga a la colocación de estos materiales en vertederos especialmente construidos para tal efecto. El trans-

porte y la transformación industrial de los metales en productos de consumo suponen también un gran consumo de energía y provocan gran cantidad de residuos sólidos, líquidos y gaseosos. El vertido y la mala eliminación de algunos productos, como pilas o algunos electrodomésticos, puede llevar a la introducción de algunos metales en el agua y en el suelo, generando graves problemas de salud pública debido a sus efectos nefastos para los organismos vivos. Destacan, por ejemplo, el mercurio, el cadmio y el plomo. La mayoría de los metales presenta excelentes características para el reciclaje.

El material metálico separado es después fundido en hornos, permitiendo la producción de nuevos pro-

ductos. El reciclaje de metales conduce, por lo general, a la obtención de metales con características iguales a aquellos que son obtenidos a partir de los recursos minerales, pudiendo este proceso ser repetido infinitamente.

El reciclaje, además de evitar el depósito de metales en el medio o en rellenos sanitarios, permite la recuperación y se valoriza un recurso importante. Por este motivo, la cantidad de metales que es depositada en rellenos es muy baja. El reciclaje del metal permite la reducción del volumen de recursos naturales extraídos de las minas. Otra ventaja muy importante es el ahorro de energía y la consiguiente re-

▌▌ El metal puede ser separado de los restantes residuos por selección manual o recurriendo a métodos físicos. Uno de los métodos más importantes de selección es la separación magnética, aplicada a metales ferrosos. Otros métodos de separación implican el desmantelamiento de productos descartados y posterior separación de los diferentes metales, la trituración y separación por densidad, etc.

ducción de las emisiones de contaminación.

Cada uno puede contribuir al reciclaje de este importante recurso, separando los envases de productos alimenticios, como latas de refrescos, latas de conservas sin grasa (judías, guisantes, etc.) del resto de la basura y llevarlas inmediatamente al contenedor adecuado. Otros productos que tengan metal pero que pueden dificultar el proceso de reciclaje, como es el caso de cuberterías, ollas, electrodomésticos, etc., no deben ser colocados en el contenedor de metal sino ser enviados al punto limpio. Algunos ayuntamientos y municipios ya realizan la recogida separada de estos residuos a petición de los consumidores.

Cuando compramos algún electrodoméstico (televisor, ordenador, lectores de mp3, etc.) debemos llevar el viejo al vendedor, pues éste está obligado a enviarlo a un centro de reciclaje. En el caso de ordenadores y electrodomésticos, algunos fabricantes han hecho esfuerzos en el sentido de sustituir el plástico por algunos metales reciclables, en especial aluminio. Algunas empresas poseen hasta servicios gratuitos de recogida de productos, al final de su vida útil, para reciclaje.

El reciclaje de los plásticos

El primer relato de la creación de una sustancia con las características del plástico fue obra de Alexander Parkes en 1855, hecho a partir de fibras vegetales. El primer plástico enteramente sintético fue creado en 1909 por Leo Baekeland.

Durante el siglo XX se desarrollaron innumerables tipos de plástico, siendo hoy una sustancia utilizada en gran abundancia por nuestra sociedad. Los plásticos utilizados comercialmente se obtienen, en su gran mayoría, a partir del petróleo.

Utilizando procesos químicos es posible alterar las propiedades de los materiales plásticos producidos, modificando su transparencia, color, resistencia, elasticidad o brillo. El plástico es un buen aislante térmico y es un mal conductor de electricidad. La mayoría de los plásticos son impermeables.

La facilidad con que estas propiedades son manipuladas, asociadas a la facilidad de moldeado y al bajo coste, convirtió al plástico en un producto muy consumido por la sociedad. Los plásticos ocupan un papel central en casi todos los productos que compramos.

En los edificios más modernos son utilizados como aislantes térmicos en las paredes y como aislantes en las instalaciones eléctricas. En los automóviles son utilizados en el revestimiento del interior y en algunas piezas exteriores. Son utilizados en piezas exteriores e interiores en la mayoría de los equipamientos electrónicos y electrodomésticos, como lavadoras, tostadoras, ordenadores, teléfonos móviles, televisores, DVDs, etc.

Alguna ropa integra también plástico, en especial las fibras de nailon. Los plásticos son muy utilizados como recipientes o envases, siendo este uso uno de los mayores responsables del volumen de plástico de los residuos sólidos urbanos. Otros usos importantes incluyen tuberías de abastecimiento de gas y agua, revestimiento de herramientas, equipamiento médico, equipamiento de seguridad o incluso equipamiento militar.

La producción de plástico implica la utilización de petróleo, que es un recurso no renovable. Su proceso implica, en la mayoría de los casos, la producción de grandes cantidades de contaminantes químicos. En el proceso de fabricación son utilizadas sustancias químicas tóxicas.

‖ El plástico es una sustancia con una gran durabilidad, degradándose muy lentamente, pudiendo permanecer decenas o cientos de años en la naturaleza sin sufrir alteraciones significativas. La baja tasa con que son reciclados, asociada a su facilidad de transporte, promovida por el viento o por flotación en el agua, los volvió casi omnipresentes.

Algunas de esas sustancias pueden crear problemas de salud como consecuencia del uso de los productos finales. El plástico representa entre el 8 y el 10% del peso de los residuos sólidos urbanos, con todo puede representar hasta el 20% del volumen, lo que crea algunos problemas en su depósito en vertederos.

El reciclaje del plástico requiere de un procesamiento mucho más complejo que el vidrio o el metal. La mayoría de los plásticos puede ser reciclada o valorizada energéticamente, por ejemplo a través de la incineración. Con todo, el plástico no es todo igual, siendo necesario separar los diversos tipos existentes.

A este efecto existe un conjunto internacional de códigos de reciclaje. Estos códigos están ilustrados en la tabla I.

Algunos países sólo reciclan algunos tipos de plástico, siendo los más comunes los PET e los PEHD. Los números de I a 7 son sólo códigos y no significan nada en cuanto a la mayor o menor facilidad para reciclar estos tipos de plástico.

El modo más común de reciclar plásticos, especialmente los termoplásticos, es calentarlos y volver

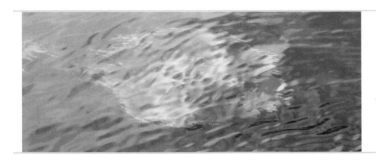

‖ Un ejemplo impresionante es el hecho de que se descubrieron recientemente en el Océano Pacífico dos manchas de plástico gigantescas, con cerca de 10 metros de espesor medio y un área mayor que los Estados Unidos de América.

a moldearlos. Algunos plásticos no pueden tener este tratamiento, pudiendo solamente ser molidos para hacer placas de aislamiento, rellenar pavimentos o utilizarlos como aditivos en materiales de construcción, etc.

En algunos casos es posible, a través de procesos químicos, realizar la reacción contraria que permitió la formación del plástico, descomponiéndolo en su materia prima. A este proceso se le llama despolimerización. En algunos casos, la despolimerización térmica permite la obtención de petróleo. Siendo el plástico un compuesto derivado del petróleo, todavía contiene mucha energía. Esa energía puede ser utilizada si el plástico fuese quemado en incineradoras.

Sin embargo, este proceso no es tan deseable como el reciclaje porque puede, potencialmente, generar mayor contaminación. La mejor forma de evitar los efectos negativos del plástico es evitar al máximo su utilización.

Recientemente ha aumentado la producción y utilización de plástico biodegradable. Este tipo de material, al contrario que el plástico común, se descompone naturalmente cuando es desechado. De este modo, siempre que sea posible, se deben preferir productos que posean este tipo de plástico.

El reciclaje de plástico permite reducir el consumo de combustibles fósiles y permite ahorrar energía. Al mismo tiempo se reduce la cantidad de residuos colocados en vertederos, aumentando el tiempo de vida de estos.

Tabla 1: Código numérico y símbolo abreviado / Nombre del plástico / Utilización	
01 PET — Tereftalato de polietileno / Común en botellas para bebidas.	**05** PP — Polipropileno / Piezas de automóviles y fibras industriales.
02 PE-HD — Polietileno de alta densidad / Botellas, bolsas plásticas resistentes, recipientes de reciclaje, equipamiento para el parque para niños, etc.	**06** PS — Poliestireno / Accesorios de cocina, tableros, juguetes, cajas de casetes, placas aislantes y productos de poliestireno expandido.
03 PVC — Policloruro de vinilo / Tubos de canalización y envases para productos no alimenticios.	**07** O — Otros, entre otros, policarbonato, acrílico, nailon, fibra de vidrio, etc.
04 PE-LD — Polietileno de baja densidad / Bolsas de plástico, recipientes, botellas, material de laboratorio.	

Siendo el reciclaje un proceso generalmente menos contaminante que la producción de plástico, su utilización reduce la contaminación. En caso de que el plástico sea reciclado para producir energía, su utilización para este fin reduce la necesidad de recurrir a combustibles fósiles. Tal como el reciclaje de otros materiales, el reciclaje del plástico permite la creación de empleo, teniendo, por eso, ventajas sociales.

La mejor actitud frente al problema de la acumulación de plástico en los vertederos y en el medio es evitar al máximo los productos que posean innecesariamente este tipo de material. Si hubiese alternativas idénticas, con precios semejantes, de bebidas, productos alimenticios, electrodomésticos u ordenadores, se debe optar por aquellos que recurran menos al plástico. Cada consumidor debe presionar a los fabricantes (bien directamente a través del contacto directo, bien indirectamente evitando comprar productos) para evitar que pequeños objetos sean, a veces, embalados en plástico que tiene 5 ó 6 veces su volumen.

Al realizar compras se debe evitar la utilización exagerada de bolsas. Preferiblemente se deben llevar de casa bolsas de material resistente, que puedan ser utilizadas varias veces. Siempre que sea posible, deben ser utilizados servicios de reciclaje puestos a disposición por los propios fabricantes de algunos productos. Un teléfono móvil, por ejemplo, es un dispositivo con una gran variedad de materiales, entre los cuales figura una gran cantidad de plástico, que debe ser reciclada recurriendo a servicios especializados.

El reciclaje de los envases de cartón complejo para líquidos alimenticios

Los envases de cartón para bebidas o alimentos líquidos están constituidos por cerca de 75% de papel (cartón), 20% de plástico (polietileno de baja densidad) y ocasionalmente aluminio (5%).

De una manera general, los envases que poseen aluminio permiten que el alimento embalado dentro de ellos sea almacenado sin necesidad de refrigeración, mientras que los envases sin aluminio necesitan ser mantenidos en la nevera. El papel-cartón utilizado en este tipo de envases se produce a partir de materias primas vírge-

nes en un 100% y de alta calidad, y sirve para dar forma al envase. Dado que este tipo de envases tiene tres componentes reciclables, se desarrollaron métodos para la separación de sus componentes.

El papel-cartón es el principal constituyente de estos envases y tiene fibras de gran calidad, justificando, sólo por sí mismo, el reciclaje. Para proceder al reciclaje de estos productos, es necesario que la gente separe los

envases y los coloque en los dispositivos adecuados. En la mayor parte de los países europeos la recogida de estos envases (de leche, zumos y otros) se realiza junto con envases de otro tipo, como las latas de aluminio y el metal y las botellas plásticas. La ventaja en este tipo de recogida es que los envases son seleccionados, posteriormente guardados separadamente de otros materiales, posibilitando a las fábricas de papel reciclarlas como si fuese una única calidad de papel. Para las fábricas de papel el mayor interés en esa materia prima es la óptima relación entre la calidad de las fibras y el coste de adquisición.

Siempre que los envases de cartón complejo sean recogidos y reciclados por separado, además de la pasta de papel, se obtiene un material, designado como poli-al (polietileno y aluminio). Este material puede ser incinerado para la recuperación de energía o puede ser reciclado para obtener aluminio y plástico (polietileno) que puede ser aplicado en la industria.

El reciclaje de los aceites domésticos

Los aceites utilizados en las frituras domésticas o industriales (en hoteles o restaurantes) son frecuentemente eliminados a través de la red de sumideros, contaminando el agua y dificultando mucho el funcionamiento y la eficacia de las plantas de tratamiento de aguas residuales.

A veces acaban en los rellenos sanitarios porque las personas los mezclan con la basura, o en los ríos o el mar, cuando se tiran a los sumideros y éstos no están conectados a las plantas de tratamiento. Ante el elevado impacto negativo de la producción y eliminación de los aceites de uso doméstico, debemos tener como principal preocupación la reducción de su uso y su reciclaje. Producir menos aceite usado implica la reducción del consumo de fritos (además de dañar más bien la salud, pues favorecen la obesidad, contaminan el medio). Su reciclaje pasa en este momento por su conversión en biodiésel, que es un sustituto del gasóleo, más barato y respetuoso con el medio.

El biodiésel es un combustible producido a partir de aceites vegetales a través de procesos químicos.

Se trata de un combustible adecuado para la mayoría de los modernos motores diésel y es una alternativa a los combustibles tradicionales. Una de las más notables ventajas ecológicas del uso del biodiésel es que no libera compuestos sulfurosos a la atmósfera, contribuyendo a la reducción de la lluvia ácida.

El reciclaje de los aceites de uso doméstico pasa por el desarrollo de un sistema de recogida. La recogida de los aceites domésticos por medio de contenedores ya se efectúa en algunas localidades de algunos países. El proceso de recogida se basa en la distribución por las familias de mini-contenedores (por ejemplo, de 5,5 litros de

capacidad) o de contenedores mayores (por ejemplo, de 30 litros) destinados a la restauración e instituciones como hogares y centros de día, que pueden ser apilados.

Los aceites así recogidos pueden ser después llevados a contenedores mayores (de 200 litros) que estarán colocados en puntos estratégicos en cada municipio (cinco por cada municipio), como por ejemplo, junto a superficies comerciales. Hay municipios que hacen una recogida puerta por puerta de los aceites usados. Son después enviados a empresas que tratan de reciclar el aceite usado produciendo biodiésel y jabón.

‖ El reciclaje de los aceites usados permite retirar los aceites de las aguas residuales domésticas (actualmente uno de los principales contaminantes de los ríos) y los transforma en biodiésel, un combustible respetuoso con el medio.

¿Cómo podemos reducir la producción de neumáticos usados y colaborar en su reciclaje?

El norteamericano Charles Goodyear, al descubrir, accidentalmente, el proceso de vulcanización del caucho (1839), abrió el camino para la invención y producción industrial de los neumáticos.

Junto con la revolución en el sector de los transportes, la utilización de los neumáticos de caucho trajo consigo el problema de saber qué hacer con tantos neumáticos usados. Durante mucho tiempo los neumáticos usados eran abandonados en lugares inadecuados, causando grandes trastornos para la salud y la calidad de vida del ser humano. Los neumáticos poseen una estructura y composición compleja. Además del caucho, entran en su composición fibras textiles, cables de acero y otros productos. Una forma encontrada para mitigar el impacto ambiental provocado por la acumulación salvaje de neumáticos usados fue el recauchutado. Esta técnica permite que el que recauchuta añada nuevas capas de caucho a los neumáticos viejos, aumentando, de esta forma, la vida útil del neumático en un 100% y proporcionando un ahorro de cerca de un 80% de energía y materia prima en relación con la producción de neumáticos nuevos. Los neumáticos también pueden ser reciclados.

Durante este proceso, los neumáticos son reducidos a trozos con un tamaño adecuado, realizándose en seguida la separación completa e individualizada del caucho, el acero y los productos textiles sin generar prácticamente ningún desperdicio o pérdidas de material.

El proceso de reciclaje produce granulados

de caucho (de varias dimensiones) que pueden ser aplicados en la fabricación de asfalto (alquitrán) para la pavimentación de carreteras, en campos de fútbol sintéticos y campos polideportivos, en la construcción de suelos de parques infantiles y zonas de recreo y ocio, en la fabricación de piezas y productos de caucho aglomerado, para fabricar alfombrillas para automóviles, tacones y suelas de zapatos, pegamentos y adhesivos y cámaras de aire, entre muchos otros productos.

A título de ejemplo, la aplicación de una mezcla de alquitrán con un 8% de caucho en una carretera con un pavimento de 12 m de ancho (5 m de arcén y 7 m de calzada) y con 5 cm de espesor, consume cerca de 5 neumáticos de coche por metro lineal de carretera, o sea, 5.000 neumáticos por kilómetro. El ciudadano común puede reducir la producción de neumáticos usados comprando neumáticos recauchutados.

▌ Después de todo debe tener cuidado con la conducción, por cuestiones de seguridad y porque ahorra mucho en su coche (neumáticos, frenos, etc.) y en combustible. Debe evitar arrancadas, frenazos bruscos y una velocidad excesiva. Una conducción más preventiva hace bien "a la cartera" (gasta menos combustible, conserva el automóvil), al medio (produce menos ruido, contamina menos) y a la salud (seguridad).

El reciclaje de las pilas

Las pilas y baterías (o acumuladores) son dispositivos tecnológicos que convierten energía química en energía eléctrica a través de un proceso electroquímico.

Son básicamente utilizadas en aparatos portátiles como radios, grabadoras, lectores de mp3, juguetes, linternas, teléfonos móviles, ordenadores portátiles, etc. Existen diversos tipos de pilas. Las pilas no recargables, del tipo zinc-carbono y alcalinas, tienen forma cilíndrica, y tienen en su composición varios metales pesados como el mercurio (Hg), el plomo (Pb) o el cadmio (Cd). También hay pilas de "botón" que pueden ser alcalinas, de óxidos de plata, de zinc y aire y de litio.

Existen actualmente en el mercado tres tipos de baterías recargables: de níquel y cadmio (NiCd), de níquel e hidruro metálico (NiMH) y Li-Ion o iones de litio. Las baterías de NiCd, por el hecho de tener cadmio en su constitución y por ser esta una sustancia muy tóxica y perjudicial para el medio, están prácticamente en desuso.

En muchos países se prohíbe ya su producción. Las pilas de NiMH son las pilas recargables más utilizadas actualmente. Tienen mayor durabilidad que las baterías de NiCd y no tienen el problema de la "batería viciada". Como no contienen cadmio en su composición, son más respetuosas con el medio y la salud. Las baterías Li-ION son, actualmente, las más

‖ Otra categoría de pilas son las recargables, también designadas como acumuladores. Mientras que las pilas normales, cuando se gastan, tienen que ser retiradas y descartadas, estas pilas pueden ser recargadas por medio de un cargador y ser utilizadas varias veces.

aceptadas por poseer una mayor capacidad de carga y de vida útil. Si las pilas fueran depositadas en el suelo, se van deteriorando y sus componentes se esparcen y se filtran, provocando la contaminación de los suelos, pudiendo alcanzar las capas freáticas.

Pueden incluso entrar en la cadena alimenticia poniendo en peligro la salud humana. Si ponemos las pilas en la basura normal, pueden entrar, mezcladas con la materia or-

gánica, en el proceso de compostaje, reduciendo significativamente la calidad del abono orgánico (compost) producido, pudiendo, sin excepción, hacer inviable su uso en la agricultura debido al exceso de metales pesados.

Su quema en incineradores tampoco es una buena práctica, pues sus residuos tóxicos permanecen en las cenizas y parte de estos se puede volatilizar, contaminando la atmósfera. Los constituyentes de las pilas que presentan mayores problemas para el medio y la salud humana son los metales pesados.

De estos, los más peligrosos son el plomo (Pb), el mercurio (Hg) y el cadmio (Cd). El cadmio provoca problemas en los

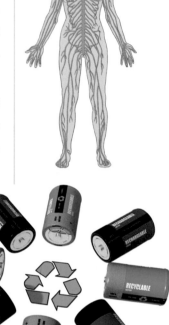

huesos (deformación y facilidad de fractura) y es cancerígeno.

El plomo puede provocar anemia, debilidad y parálisis parcial. El mercurio provoca problemas en el sistema nervioso central con consecuencias en el ámbito sensorial, motor y psicológico y puede también ocasionar mutaciones genéticas. Por los motivos apuntados anteriormente debemos colaborar en la reducción de la producción de las pilas usadas utilizando pilas recargables y utilizarlas correctamente. La recarga debe hacerse sólo cuando la batería esté 100% descargada.

Así la vida de la pila o batería será más larga. Una pila recargable, siendo utilizada de forma correcta, puede recargarse cientos de veces. Al final de la vida de la batería debemos echarla en el contenedor para pilas.

De esa forma disminuimos significativamente el riesgo de vertido descontrolado de las pilas y acumuladores usados y prevenimos la posible contaminación que de ahí puede sobrevenir.

El reciclaje de la materia orgánica

Una de las partes más importantes de los Residuos Sólidos Urbanos es la materia orgánica, constituida básicamente por restos de alimentos, césped cortado, etc. El depósito de esta parte de la basura en los rellenos sanitarios ocupa mucho espacio y durante su descomposición anaeróbica se produce biogás, que puede contribuir al calentamiento global.

Los residuos orgánicos pueden y deben ser reutilizados o reciclados. El reciclaje de la materia orgánica es un proceso natural que siempre existió en la naturaleza. La reutilización/reciclaje de los productos orgánicos es un proceso adoptado hace mucho tiempo.

La práctica más común es dárselos a los animales para que los transformen en materia comestible (carne). Otra posibilidad es proceder a su descomposición en casa y utilizar el producto formado (compost) como abono natural. El compostaje es un proceso de reciclaje de la materia orgánica, originando

como producto final un abono orgánico natural designado como compost.

El compostaje doméstico puede realizarse por las personas que poseen un pequeño jardín o terreno. Permite al ciudadano proceder a la valorización de sus residuos orgánicos. Este tipo de compostaje evita los gastos en el transporte y el depósito de esos residuos en un vertedero. Existen materiales orgánicos que se pueden y otros que no se deben colocar en el recipiente para compost, so pena de dificultar o incluso impedir el proceso de compostaje. La tabla muestra esos diferentes tipos de materiales. El compostaje industrial proporciona un destino útil a los residuos orgánicos, evitando su acumulación en rellenos y además de eso, el producto final, el compost, puede usarse, según su calidad, en la agricultura como abono orgánico. De esta forma se devuelve a la tierra los nutrientes que necesita, evitando el uso de fertilizantes sintéticos.

Muchas veces el compost es usado en suelos como enmienda orgánica, principalmente de suelos arcillosos y arenosos, pobres en materia orgánica. La materia orgánica deja el suelo más fofo y ligero, posibilitando que las raíces utilicen el agua y los nutrientes más fácilmente. Aplicando el compost una o dos veces al año, la productividad del suelo aumenta.

Tabla 2 – Materiales que se pueden y no se pueden compostar

Cuida tu planeta. Recicla

Materiales que se pueden compostar

Verdes: restos de vegetales crudos; restos y cáscaras de frutos; posos del café, incluidos filtros; arroz y masa cocinados; hojas verdes; bolsas de té; cereales; hierbas dañinas (sin simiente); restos de césped cortado y flores; cáscara de huevo machacada*; pan*.

*Estos materiales deben utilizarse en cantidades limitadas porque se descomponen lentamente.

Castaños: heno; paja; astillas de madera y serrín; restos de césped y hierba seca; hojas secas; ramas pequeñas.

Materiales que no se pueden compostar

Carne, pescado, marisco, lácteos y grasas (queso, mantequilla y salsas); excrementos de animales (pueden contener microorganismos patógenos que sobreviven al proceso de compostaje); residuos de jardín tratados con pesticidas; plantas enfermas o con plagas de insectos; cenizas de carbón; hierbas dañinas con simiente (si el compost se aplicase en una zona agrícola); productos textiles, tintas, pilas, vidrio, metal, plástico, medicamentos, productos químicos.

El reciclaje de los residuos de demoliciones y construcción

La industria de la construcción civil genera una enorme cantidad de residuos (vulgarmente llamados escombros).

Los residuos de construcción y demolición consisten en cemento, estuco, tejas, metales, madera, yeso, aglomerados, piedras, moquetas, etc.

Durante mucho tiempo, esos materiales fueron (y todavía lo son) abandonados en cualquier lado clandestinamente: en vertederos; canteras abandonadas; terrenos baldíos; márgenes de ríos y de caminos; etc. Este hecho representa(ba) un enorme desperdicio de material, además de ser una enorme fuente de contaminación.

Por otro lado, los ayuntamientos gastan enormes sumas de dinero en la limpieza de los lugares donde los constructores menos escrupulosos depositaban sus residuos. Muchos de esos materiales pueden reutilizarse y reciclarse. Parte de los escombros puede triturarse y usarse en pavimentación de carreteras, relleno de los cimientos de construcción y relleno de vías de acceso. Grandes pedazos de hormigón pueden aplicarse en escolleras y tajamares para intentar evitar los procesos erosivos en la franja costera, o ser depositados en el fondo del mar para ayudar al desarrollo de arrecifes artificiales. A partir de los "escombros" se pueden fabricar componentes de construcción: bloques, briquetas, tubos para drenaje y placas. Para resolver el problema de los escombros es necesario organizar un sistema de recogida eficiente.

▌ El reciclaje de estos materiales permite disminuir su vertido en lugares inadecuados (y sus consecuencias indeseables ya presentadas), reduce mucho los gastos de limpieza de los lugares en que eran depositados clandestinamente, evita su traslado a vertederos y reduce la necesidad de extracción de materias primas para la construcción.

El reciclaje de lámparas fluorescentes

La sustitución de las lámparas incandescentes por lámparas fluorescentes compactas ha aumentado considerablemente por el hecho de que este tipo de lámparas consumen menos del 75 por ciento de energía eléctrica para producir la misma cantidad de luz que las incandescentes.

Tienen también una gran durabilidad, resistiendo cerca de 10 mil horas en oposición a las mil horas de las lámparas incandescentes. Estas lámparas tienen en su composición vidrio (90%), metal (8%), mercurio (0,1%) y polvo de fósforo (1,8%), lo que supone el problema de los riesgos relacionados con su eliminación. Se calcula que la gran mayoría de las lámparas usadas son depositadas en rellenos sanitarios, o abandonadas, contaminando el suelo y el agua con metales pesados. Dada la composición de estas lámparas, se justifica la inversión en su recogida y reciclaje. Muchos países están invirtiendo en tecnología que recupera los componentes presentes en las lámparas, reaprovechando más del 98 % de la materia prima utilizada en la fabricación. El reciclaje pretende en primer lugar descontaminar la lámpara fluorescente con la extracción del mercurio y posibilitar su reciclaje y el de los otros materiales constituyentes de la lámpara. Durante el reciclaje de las lámparas los materiales constituyentes son separados mecánica y magnéticamente en cinco clases distintas: metal ferroso; metal no ferroso; vidrio; polvo de fósforo rico en mercurio (Hg); y baquelita. Por un proceso de destilación se produce después la recuperación del mercurio contenido en el polvo de fósforo de las lámparas fluorescentes. Todo este proceso permite la valorización casi total de los componentes de las lámparas: vidrio (90%), metal (8%), mercurio (0,1%) y polvo de fósforo (1,8%). El vidrio reciclado es utilizado en la industria cerámica, el metal es enviado a la siderurgia, el mercurio es utilizado en diversas aplicaciones industriales, mientras que el polvo de fósforo puede ser reciclado y reutilizado, por ejemplo, en la industria de tintas.

El reciclaje de los aceites usados

Los aceites lubricantes tienen varias aplicaciones, bien en el sector industrial, bien en el sector del automóvil. Los aceites lubricantes son un producto que no se consume totalmente y sufre grandes modificaciones en su composición con su uso.

en cursos de agua equivale a las aguas fecales domésticas de 40 mil habitantes. La quema indiscriminada del aceite lubricante usado, sin tratamiento previo (eliminación de los metales), genera emisiones significativas de óxidos metálicos, además de otros gases tóxicos, que contienen dioxinas y óxidos de azufre.

Dado que la gran mayoría de los aceites usados es susceptible de ser reciclada, el mejor destino que se les puede dar a los aceites usados es el reciclaje. Todo el aceite lubricante usado o contaminado debe ser recogido y reciclado obligatoriamente de forma que no afecte negativamente al medio.

▌ En los países desarrollados, el consumidor paga un impuesto sobre los aceites lubricantes para costear la recogida de los aceites usados.

Los aceites usados contienen, además de los productos que integraban su composición básica, algunos aditivos, los metales de desgaste de los motores y de las máquinas lubricadas (plomo, cromo, bario y cadmio) y contaminantes diversos, como combustible no quemado, polvo y otras impurezas. La contaminación generada por el vertido de 1 tonelada por día de aceite usado en el suelo o

La mayor parte del aceite usado, recogido para su reciclaje, proviene del sector del automóvil. Las empresas que hacen cambios de aceite están obligadas a depositar los aceites usados en recipientes, que serán recogidos por empresas que los llevan a las fábricas de reciclaje.

Los aceites usados en el sector del automóvil, por ejemplo, pueden, en muchos casos, convertirse en un producto de calidad semejante al original, o ser transformados en un producto de menor calidad, como es el caso del aceite para lubricación general o aceite de corte.

El número de veces que un lubricante industrial puede someterse a reciclaje está limitado al grado de oxidación, contaminación y a las pérdidas naturales en servicio.

El reciclaje de residuos industriales peligrosos y límites del reciclaje

Algunas actividades humanas generan residuos que, dada su naturaleza tóxica, corrosiva, reactiva o inflamable, todavía no pueden ser reciclados o depositados en vertederos convencionales.

Es probable que el hombre consiga desarrollar la tecnología para procesar este tipo de residuos. Con todo, en la actualidad, eso todavía no es posible. Entre estos residuos están, por ejemplo, los residuos hospitalarios, los residuos de las centrales nucleares o residuos no reciclables con cantidades elevadas de metales pesados. Algunos de estos residuos pueden ser tratados por incineración, reduciendo su volumen, pero la ceniza resultante de este proceso todavía puede ser peligrosa. Estas cenizas tienen que ser depositadas en vertederos especialmente construidos para residuos peligrosos.

En el caso de los residuos nucleares, se han utilizado minas profundas abandonadas para proceder a su depósito, en recipientes debidamente sellados. Ha habido tentativas de reciclar algunos de estos materiales, principalmente el uso de cenizas como aditivo adherente en hormigón. Con todo, con el tiempo, el hormigón sufre corrosión, pudiendo liberar algunos de estos contaminantes a la atmósfera y acuíferos. En este caso el reciclaje está completamente desaconsejado. Otro ejemplo de mal reciclaje es el uso de uranio empobrecido (residuo resultante del enriquecimiento y reprocesamiento de uranio para la producción de energía nuclear o fines militares).

Esta sustancia es extremadamente densa, teniendo cerca de 19 kg/l. Debido a esta característica se ha utilizado erróneamente para fines militares, en la construcción de cabezas para bombas perforantes. Se sospecha que en la guerra de la ex-Yugoslavia este material ha sido la causa de varias muertes por leucemia.

¿Qué se debe hacer para producir menos basura?

La prevención incluye los esfuerzos para reducir la producción de basura y promover la reutilización de los productos.

La industria y los consumidores tienen un papel decisivo en la reducción de la cantidad de residuos. La industria debe comenzar, en primer lugar, a reducir la producción de residuos peligrosos para el medio y la salud humana.

Seguidamente, debe apostar por la reducción de todo tipo de residuos. Las estrategias de reducción pasan, por ejemplo, por evitar el envasado excesivo, la creación de envases más ligeros y menos voluminosos (latas, botellas, etc.), aumentar la durabilidad de los productos y la producción de materiales y productos que puedan ser reutilizados.

El consumidor final puede ayudar a prevenir la producción de basura evitando comprar determinados productos (por ejemplo refrescos, pues además de hacer daño a la salud, hacen daño al medio y son económicamente costosos). En casa no debemos utilizar loza desechable. Debemos usar toallas y pañuelos de tela en vez de utilizar pañuelos de papel. De compras debemos llevar bolsas de nailon, de tela o de otro material. Debemos utilizar menos bolsas para transportar las compras o reutilizar las bolsas de los supermercados.

Debemos comprar productos por peso en vez de comprarlos embalados

La sociedad de consumo actual es mala para el medio, para la salud y para la economía. Si reducimos el consumo de gran parte de los productos que utilizamos innecesariamente, mejoraremos nuestro entorno, la salud y la economía.

(por ejemplo, la fruta o la carne viene embalada en envases de poliestireno, que es muy difícil de descomponer).

Debemos comprar, siempre que sea posible, envases familiares, que producen menos cantidad de residuos.

Debemos optar por detergentes que tengan recarga. Debemos comprar líquidos en envases que se puedan reutilizar. Debemos evitar comprar productos excesivamente embalados.

La reutilización de materiales es otra vía que podemos y debemos adoptar para reducir el volumen de RSU que producimos. Utilizar pilas recargables, utilizar el envés de las hojas como borrador, utilizar los envases de yogur para hacer siembra de plantas, comprar cartuchos de impresión recargables, son formas de reutilizar productos.

Podemos donar la ropa usada, que puede ser dada a otras personas o para obras de caridad. Los juguetes viejos, libros y juegos que no quieres pueden darse a otras personas.

Debemos tener presente que la producción de la mayor parte de los residuos está relacionada con el proceso de producción, transporte y comercialización de bienes de consumo, y no sólo con su eliminación. Por eso, la única forma de reducir significativamente los residuos es modificar nuestro comportamiento y comenzar a consumir menos.

Este libro, que forma parte de
la colección QUÉ ME DICES
DE..., acabó de imprimirse en
los talleres de Diumaró en
septiembre de 2008.